A NIVEL

ORTOGRAFÍA

✱ **Santillana** USA

Author
Marlene Navarro-Wilson, M.A. Education

Editor
Guilherme P. Kiang-Samaniego

Consultant
Carol Nestler Taylor

Reviewers
Eleanor W Thonis, Ph.D.
Margarita Vega, M.A. Education

© 1986
© 1999 Santillana USA Publishing Co., Inc.

ORTOGRAFÍA Teacher's Guide **A**

ISBN 10: 1-58105-295-2
ISBN 13: 978-1-58105-295-4

Published in the United States of America

Printed in Colombia by D'vinni S.A.

Santillana USA Publishing Co., Inc.
2105 N.W. 86th Avenue
Miami, FL 33122

10 09 08 07   10 11 12 13 14 15

To the Teacher

The general objective of ORTOGRAFÍA SANTILLANA is to improve writing by providing students with direct instruction in spelling.

The program, written with a strong phonetic emphasis, offers a wide variety of strategies and activities for the student. The content, scope, and organization fit the needs of the Spanish reader by providing instruction at the proper level, teaching generalizations in a sequential manner, and including words most commonly used in student writing.

Word lists are organized in units which closely follow the reading syllabic patterns, thus strengthening reading skills and reinforcing writing skills.

Ortografía A is comprised of 10 lessons which deal with one consonant/one vowel relationships. There are seven pages of activities for each lesson. The lessons follow a sequence of skill development from matching pictures and print, to writing the whole word, and finally to recognizing a word in the context of a sequence.

Contents

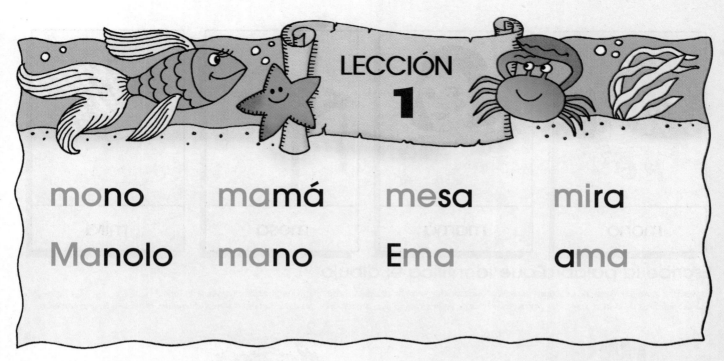

mono mamá mesa mira

Manolo mano Ema ama

Have students examine the shapes carefully to determine the words that fit into each configuration. Complete an example with them.
Pida a los estudiantes que examinen con cuidado la forma de las casillas para identificar dónde debe ir cada palabra. Haga un ejemplo con ellos.

Escribe las palabras en las casillas. Guíate por la forma de las mismas.

1. m o n o

2. m a n o

3. a m a

4. m a m á

5. m i r a

6. m e s a

7. M a n o l o

8. E m a

Practice writing words containing **m** + vowel.
Identify words.

Practicar la escritura de palabras que contengan **m** + vocal.
Identificar palabras.

		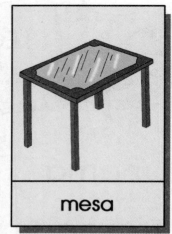	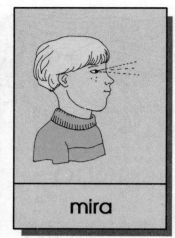
mono	mamá	mesa	mira

Escribe la palabra que identifica el dibujo.

Review the word list. Read the directions to the activities making sure the students understand. Complete an example with them.

Lea las palabras de la lista. Luego lea las instrucciones de cada ejercicio asegurándose de que los estudiantes hayan entendido. Haga un ejemplo con ellos.

1.
mano

2.
mono

3.
Manolo

4.
Ema

5.
mesa

6.
mira

7.
mamá

8.
ama

6

Use picture clues to identify words.
Practice writing words containing **m** + vowel.

Identificar palabras por medio de dibujos.
Practicar la escritura de palabras que contengan **m** + vocal.

Manolo

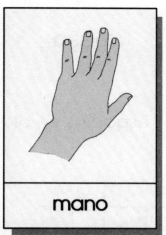

mano

Ema

ama

Completa las oraciones con palabras de la lista.

_____

1. Ema tiene un  .   mono

2. Mi me ama.   mamá

3. Mira la de Manolo.   mano

4. Mamá mima a .   Ema

Copia cada oración completa.

Read the directions. Do the activity orally with the students, then assign them to do the writing. Call their attention to the picture clues. *Lea las instrucciones. Haga el ejercicio en voz alta con los estudiantes y luego pídales que lo hagan por escrito. Dígales que se guíen por los dibujos.*

1. Ema tiene un mono.

Stress capitalization and punctuation.   *Haga énfasis en el uso de las mayúsculas y la puntuación.*

2. Mi mamá me ama.

3. Mira la mano de Manolo.

4. Mamá mima a Ema.

Complete sentences.   Completar oraciones.

mono   mamá   mesa   mira

Escribe las letras que faltan.
Escribe cada palabra dos veces en los espacios en blanco.
Dibuja su significado en el cuadro.

1. Manolo   Manolo

Manolo

2. m_a_m_á   mamá

mamá

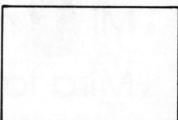

3. a_m_a   ama

ama

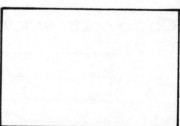

4. m_e_s_a   mesa

mesa

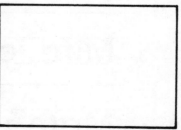

Complete words.
Draw pictures that correspond with the words.

Completar palabras.
Hacer dibujos que correspondan a las palabras.

Manolo **mano** **Ema** **ama**

Read the directions. Complete an example with the students, calling their attention to the vowels.
Lea las instrucciones. Haga un ejemplo con los estudiantes, dirigiendo su atención a las vocales.

5. **m i r a**

mira

mira

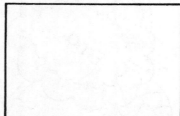

6. **E m a**

Ema

Ema

7. **m a n o**

mono

mono

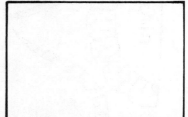

8. **m a n o**

mano

mano

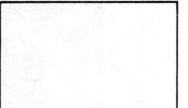

Busca las palabras escondidas y rodéalas con un círculo.

Read the directions and point out the steps involved in this activity: 1) Read a word from the list; 2) Find the word in the puzzle, and 3) Circle it.
Lea las instrucciones e indique a los estudiantes los pasos a seguir en esta actividad: 1) leer la palabra de la lista; 2) ubicar la palabra en el rompecabezas; y 3) rodearla con un círculo.

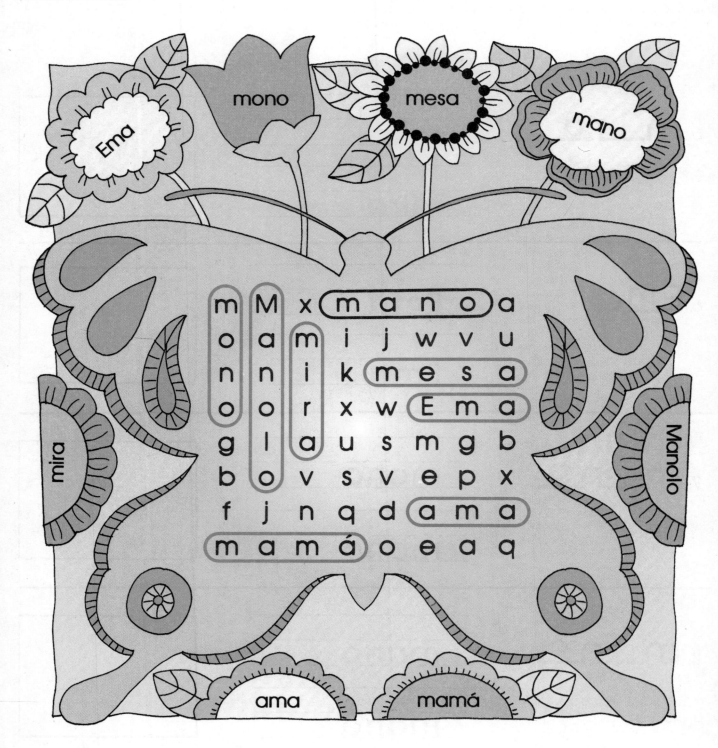

Identify words containing **m** + vowel.   Identificar palabras que contengan **m** + vocal.

Manolo   mamá   mano   mesa   mono

Escribe las palabras en el crucigrama.

Read the directions. Have students complete one word down and one word across orally. Remind them that only one letter fits in each box.

Lea las instrucciones. Pida a los estudiantes que completen en voz alta una palabra horizontal y una vertical. Recuérdeles que en cada casilla va sólo una letra.

4. m
e
s
2. M a n o l o
1. m i r a
n
3. m a n o

LESSON 1 TEST

Test students using the following sentences. Ask students to write only the underlined word.

Evalúe a los estudiantes con una prueba que contenga las siguientes oraciones. Pídales que sólo escriban la palabra subrayada: 1) El mono es feo; 2) Mamá mima al bebé; 3) La taza está en la mesa; 4) Mira qué dibujo tan bonito; 5) Manolo es un niño bueno; 6) Tengo la mano sucia; 7) Ema es mi hermana; y 8) La niña ama a su mamá.

Dictado

Ask students to practice writing the sentences. Dictate the sentences to students the day before the test.

Pida a los estudiantes que practiquen las oraciones por escrito. Dícteles las oraciones el día antes de la prueba.

Lee y practica.

1. Manolo ama a <u>mamá.</u>
2. Mamá mima a <u>Manolo.</u>
3. Mira la <u>mano</u> de <u>Ema.</u>
4. Mi mamá mira la <u>mesa.</u>

11

Use picture clues to identify words.
Practice writing sentences.

Identificar palabras por medio de dibujos.
Practicar la escritura de oraciones.

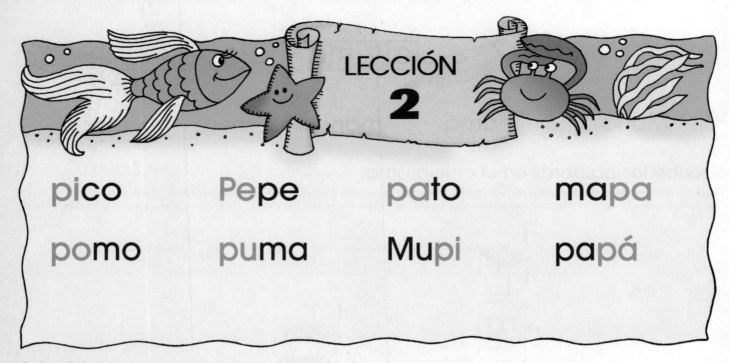

pico	Pepe	pato	mapa
pomo	puma	Mupi	papá

Review syllables before doing the activity, then do the example with the students.
Explique el concepto de sílaba antes de empezar el ejercicio. Haga el ejemplo con los estudiantes.

Traza una línea del mapa a las palabras que contienen la sílaba pa.

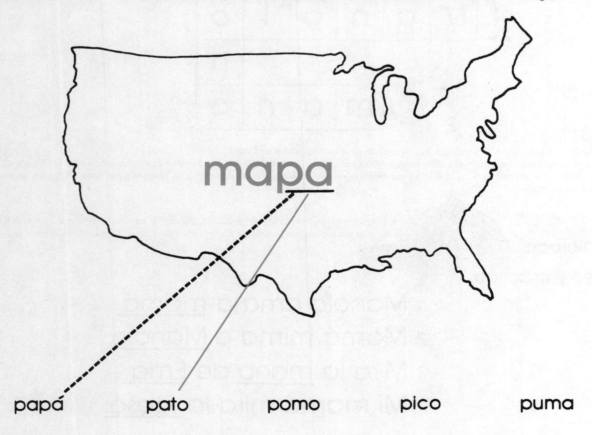

mapa

papá   pato   pomo   pico   puma

Identify words containing **p** + vowel.   Identificar palabras que contengan **p** + vocal.

Copia cada palabra dos veces.

Read the directions for each activity with the students. Ask them to do an example, making sure it is correct. Then have them complete the rest.
Lea con los estudiantes las instrucciones de cada actividad. Pídales que hagan un ejemplo. Asegúrese de que esté bien antes de proceder a terminar el ejercicio.

1. **Pepe** Pepe Pepe

2. **pico** pico pico

3. **pomo** pomo pomo

4. **Mupi** Mupi Mupi

5. **puma** puma puma

6. **pato** pato pato

Escribe la palabra que identifica el dibujo.

pato

puma

pomo

Practice writing words containing the syllables
pa, pe, pi, po, pu.

Practicar la escritura de palabras que contengan las sílabas
pa, pe, pi, po, pu.

pico

Pepe

pato

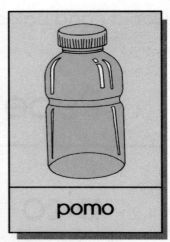
pomo

Busca las palabras escondidas y rodéalas con un círculo. Luego escríbelas.

Read the directions and point out the steps involved in this activity: 1) Circle the word and 2) Write the word on the line provided.
Lea las instrucciones e indique a los estudiantes los pasos a seguir: 1) rodear la palabra con un círculo y 2) escribir la palabra en el espacio en blanco.

m d t (p i c o) f d g f   pico

f g j e (p a t o) f r e   pato

v d (p o m o) t y g e u   pomo

s a w r t f t (m a p a)   mapa

r t e a (p a p á) e t r   papá

Completa las oraciones con palabras de la lista.

Call students' attention to the picture clues to complete the sentences.
Pídales a los estudiantes que se fijen en los dibujos para completar las oraciones.

1. El pato tiene .   pico

2. Ana lee el .   mapa

Complete sentences.   Completar oraciones.

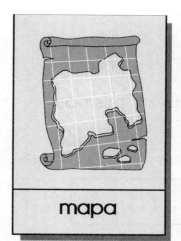
mapa

puma

Mupi

papá

Read the directions for each activity and do an example orally.
Lea las instrucciones de cada ejercicio y haga un ejemplo en voz alta.

3. Pepe tapa el .

pomo

4. Mi  me mima.

papá

5. El  nada en la laguna.

pato

Completa las palabras con las sílabas que faltan.

1. p i co

2. ma p a

3. p o mo

4. Mu p i

Colorea las flores que contienen la sílaba **pa.**

pico puma mapa pomo pato

15

papá   pato   pico   Mupi

Escribe las palabras en las casillas. Guíate por la forma de las mismas.

Read the directions. Have students examine the shapes carefully to determine the words that fit into each configuration. Complete an example with them.
Lea las instrucciones. Pida a los estudiantes que examinen con cuidado la forma de las casillas para identificar dónde debe ir cada palabra. Haga un ejemplo con ellos.

1.

2.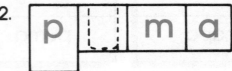

3.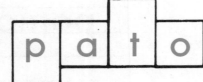

4.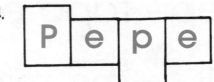

5.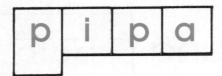

6.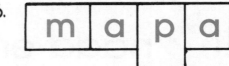

7.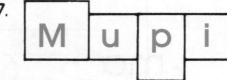

8.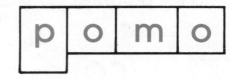

Colorea las manzanas que contienen las palabras de las casillas.

Make sure students have crayons.
Cerciórese de que los estudiantes tengan creyones.

Practice words containing **p** + vowel.   Practicar palabras que contengan **p** + vocal.

Pepe   pomo   mapa   puma

Busca las palabras escondidas y rodéalas con un círculo.

Read the directions and point out the steps involved in this activity: 1) Read a word from the list; 2) Find the word in the puzzle; and 3) Circle it.
Lea las instrucciones e indique a los estudiantes los pasos a seguir: 1) leer la palabra de la lista; 2) ubicar la palabra en el rompecabezas; y 3) rodearla con un círculo.

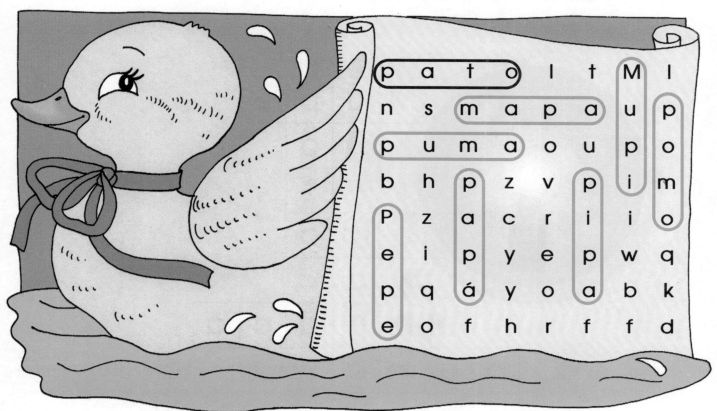

Read the directions. Bring the picture clues to students' attention.
Lea las instrucciones. Pídales a los estudiantes que se fijen en los dibujos.

Escribe la palabra que identifica el dibujo.

1. Pepe

2. puma

3. papá

Identify words containing **p** + vowel.   Identificar palabras que contengan **p** + vocal.

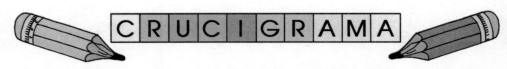

CRUCIGRAMA

Mupi   papá   pato   mapa   pomo   puma

Escribe la palabra en el crucigrama.

1. M u p i
5. p a t o
2. p o m o
6. m a p á
3. p a p á
4. p u m a

Dictado

Lee y practica.

1. El <u>pato</u> tiene <u>pico</u>.
2. Pepe tapa el <u>pomo</u>.
3. <u>Mupi</u> come pan.
4. Papá mima a <u>Pepe</u>.

Use picture clues to identify words.
Practice writing sentences.

Identificar palabras por medio de dibujos.
Practicar la escritura de oraciones.

LECCIÓN 3

tina   tesoro   taza   toma

tuba   tapa   Tomasita   tomate

Read the directions. Review syllables and do an example orally.
Lea las instrucciones. Repase el concepto de sílaba y haga un ejemplo en voz alta.

Escribe las palabras que contienen las sílabas **ta, te, ti, to** y **tu** en la columna correspondiente.

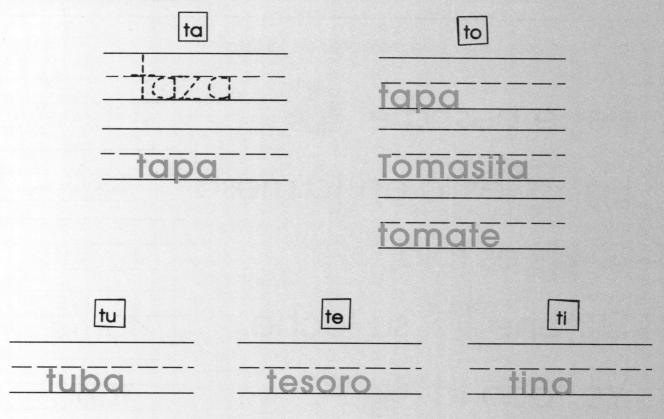

ta	to
taza	tapa
tapa	Tomasita
	tomate

tu	te	ti
tuba	tesoro	tina

Write words containing **t** + vowel.   Escribir palabras que contengan **t** + vocal.

tina

taza

tesoro

toma

Escribe la palabra que identifica el dibujo.

Read the directions. Bring the picture clues to students' attention. Complete an example with them. *Lea las instrucciones. Pídales a los estudiantes que se fijen en los dibujos. Haga un ejemplo con ellos.*

1.
Tomasita

2.
tina

3.
tomate

Completa las oraciones con palabras de la lista.

1. Pepe busca el .
tesoro

2. La está en la mesa.
taza

3. El es rojo.
tomate

4. El nene su leche.
toma

5. Yo toco la 🎺 .
tuba

Use picture clues to identify words.
Complete sentences.

Identificar palabras por medio de dibujos.
Completar oraciones.

tuba

tapa

Tomasita

tomate

Escribe la palabra en el espacio correspondiente.

Read the directions. Have students read the clues and give the answers orally before they begin writing.
Remind them to look at the word list at the top of the page.
Lea las instrucciones. Pida a los estudiantes que lean las claves y que den respuestas en voz alta antes de empezar a escribir. Recuérdeles que deben referirse a la lista de palabras de la parte superior de la página.

1. Comienza como  taza

2. Comienza como  tesoro

3. Comienza como  tina

4. Comienza como  tuba

5. Comienza como  tomate

Completa las palabras con las sílabas que faltan.

1.  ti na

2. tu ba

3. ta pa

4. to ma te

21

Write words that begin with the syllables **ta, te, ti, to, tu.**
Complete words using the syllables **ta, te, ti, to, tu.**

Escribir palabras que comienzan con las sílabas **ta, te, ti, to, tu.**
Completar palabras con **ta, te, ti, to, tu.**

Colorea los globos que contienen palabras con **ta, te, ti, to** y **tu**. Luego escribe las palabras en los espacios en blanco.

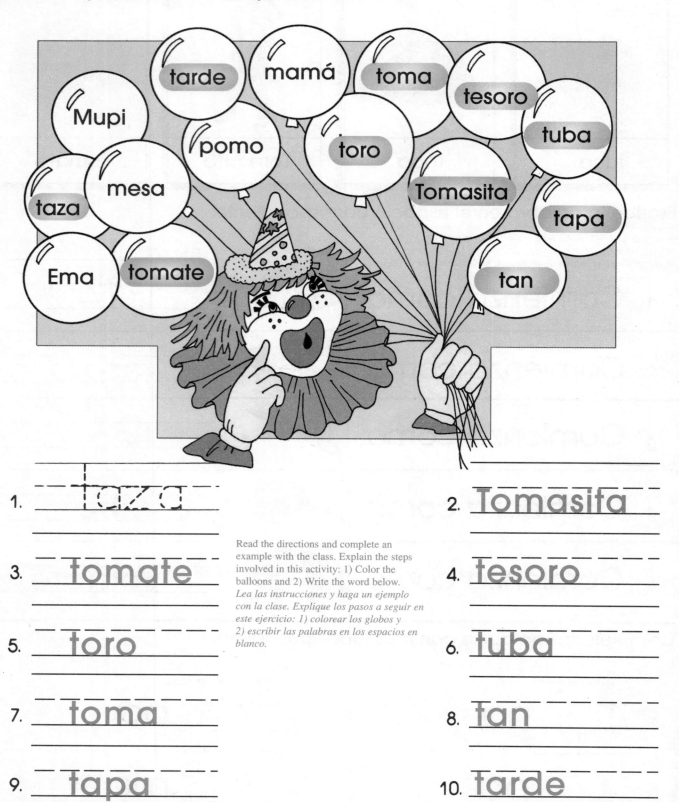

Read the directions and complete an example with the class. Explain the steps involved in this activity: 1) Color the balloons and 2) Write the word below. *Lea las instrucciones y haga un ejemplo con la clase. Explique los pasos a seguir en este ejercicio: 1) colorear los globos y 2) escribir las palabras en los espacios en blanco.*

1. taza

2. Tomasita

3. tomate

4. tesoro

5. toro

6. tuba

7. toma

8. tan

9. tapa

10. tarde

Practice words containing **ta, te, ti, to, tu.**   Practicar palabras que contengan **ta, te, ti, to, tu.**

Busca las palabras escondidas y rodéalas con un círculo. Luego escríbelas.

Explain the steps involved in completing this activity: 1) Circle the word and 2) **Write the word in the space provided.**

Explique los pasos a seguir en el desarrollo de esta actividad: 1) rodear la palabra con un círculo y 2) escribir la palabra en el espacio en blanco.

s a w t (t i n a) c s o — tina

w s d (t u b a) s i t a — tuba

(t e s o r o) y u e t f — tesoro

m s d (t o m a t e) y t — tomate

a x l n (t a z a) f r p — taza

m c p j o v r (t a p a) — tapa

Escribe las palabras en las casillas. Guíate por la forma de las mismas.

Have students examine the shapes carefully to determine the words that fit into each configuration. Complete an example with them.

Pida a los estudiantes que examinen con cuidado la forma de las casillas para identificar dónde debe ir cada palabra. Haga un ejemplo con ellos.

1. t i n a
2. t o m a t e
3. t u b a
4. t a z a
5. t e s o r o
6. t a p a

Busca las palabras escondidas y rodéalas con un círculo.

Read the directions and point out the steps involved in this activity: 1) Read a word from the list; 2) Find the word in the puzzle; and 3) Circle it.
Lea las instrucciones e indique a los estudiantes los pasos a seguir: 1) leer la palabra de la lista; 2) ubicar la palabra en el rompecabezas; y 3) rodearla con un círculo.

Identify words containing t + vowel.   Identificar palabras que contengan t + vocal.

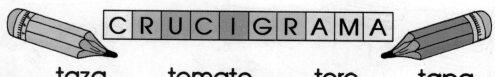

CRUCIGRAMA

tina   tuba   taza   tomate   toro   tapa

Escribe las palabras en el crucigrama.

Read the directions. Have students complete one word down and one word across orally. Remind them that only one letter fits in each box.
Lea las instrucciones. Pida a los estudiantes que completen en voz alta una palabra horizontal y una vertical. Recuérdeles que en cada casilla va sólo una letra.

LESSON 3 TEST

Test students using the following sentences. Ask students to write only the underlined word. *Evalúe a los estudiantes con una prueba que contenga las siguientes oraciones. Pídales que sólo escriban la palabra subrayada:* 1) La <u>tinta</u> está aguada; 2) El niño encontró un <u>tesoro</u>; 3) Mamá toma una <u>taza</u> de café; 4) El bebé <u>toma</u> su leche; 5) Jorge toca la <u>tuba</u> en la banda de la escuela; 6) El niño juega con la <u>tapa</u> de la olla; 7) <u>Tomasita</u> es buena alumna ; 8) El <u>tomate</u> es rojo y sabroso.

Dictado

Lee y practica.

Ask students to practice writing the sentences. Dictate the sentences to students the day before the test. *Pida a los estudiantes que practiquen las oraciones por escrito. Dícteles las oraciones el día antes de la prueba.*

1. <u>Tomasita</u> <u>toma</u> té.
2. Tu <u>pato</u> me teme.
3. Mamá <u>tapa</u> la <u>taza</u> de té.
4. Ema come <u>tomate</u>.

LECCIÓN 4

lupa   Lila   loma   pelota

limón   maleta   pala   paloma

Read the directions, then review the example. Call students' attention to the picture clues.
Lea las instrucciones y luego explique el ejemplo. Dirija la atención de los estudiantes a los dibujos.

Escribe la palabra que identifica el dibujo.

1. pelota

2. patoma

3. maleta

4. pata

5. lupa

6. Lila

Write words containing l + vowel.   Escribir palabras que contengan l + vocal.

Ordena las sílabas para formar palabras. Luego escríbelas.

món-li   pa-lu   ma-lo

limón   lupa   malo

Completa las oraciones con las palabras que faltan. Luego escríbelas.

Read the directions and then review the example. Call students' attention to the picture clues.
Lea las instrucciones. Explique el ejemplo y dirija la atención de los estudiantes a los dibujos.

1. mira la luna.

Lila mira la luna.

2. Dale el 🍋 a papá.

Dale el limón a papá.

3. La 🪐 es de Lila.

La pelota es de Lila.

4. Mira esa 🕊 blanca.

Mira esa paloma blanca.

Complete sentences.   Completar oraciones.

lupa

Lila

loma

pelota

Une las sílabas de los limones para formar palabras de la lista. Colorea las sílabas que uses. Luego escribe las palabras en los espacios en blanco.

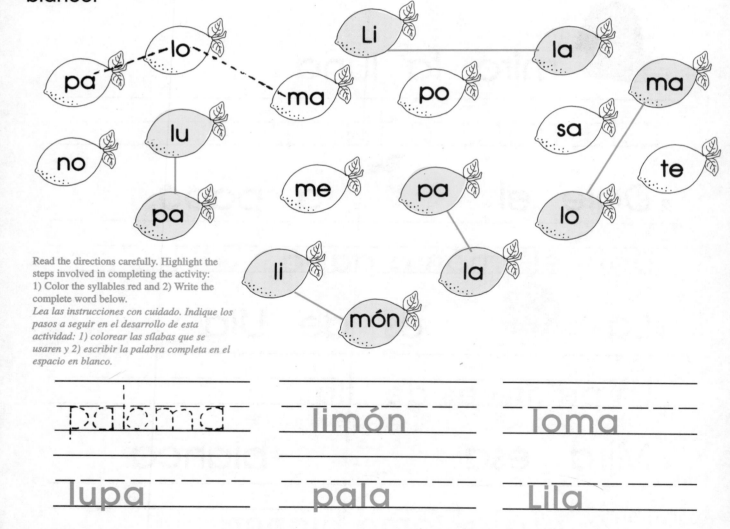

Read the directions carefully. Highlight the steps involved in completing the activity: 1) Color the syllables red and 2) Write the complete word below.

Lea las instrucciones con cuidado. Indique los pasos a seguir en el desarrollo de esta actividad: 1) colorear las sílabas que se usaren y 2) escribir la palabra completa en el espacio en blanco.

paloma   limón   loma

lupa   pala   Lila

Practice writing words containing l + vowel.   Practicar la escritura de palabras que contengan l + vocal.

limón	pala	paloma	maleta

Busca cuatro palabras en la lupa y rodéalas con un círculo. Luego escríbelas los los espacios en blanco.

Read the directions. Have students use the word list as a guide for this activity.
Lea las instrucciones. Pida a los estudiantes que se refieran a la lista de palabras en el desarrollo de esta actividad.

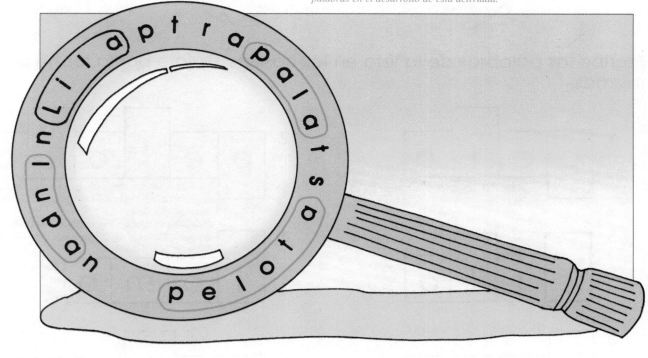

1. lila

2. pala

3. lupa

4. pelota

pala   **Lila**   **limón**   **paloma**

Ask students to bring in their crayons.
Pida a los estudiantes que traigan sus creyones.

Colorea las pelotas que contienen palabras con la sílaba **lo.**

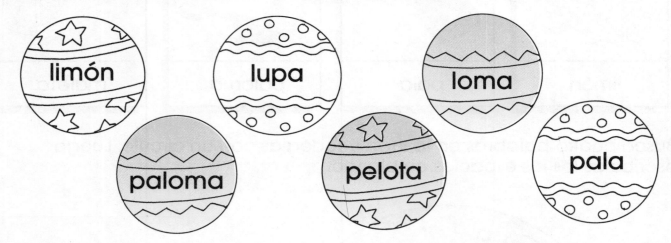

Escribe las palabras de la lista en las casillas. Guíate por la forma de las mismas.

1.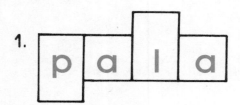
p a l a

2.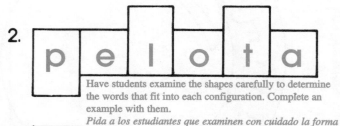
p e l o t a

Have students examine the shapes carefully to determine
the words that fit into each configuration. Complete an
example with them.
*Pida a los estudiantes que examinen con cuidado la forma
de las casillas para identificar dónde debe ir cada palabra.
Haga un ejemplo con ellos.*

3.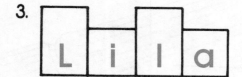
L i l a

4.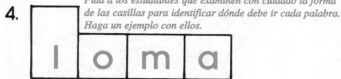
l o m a

5.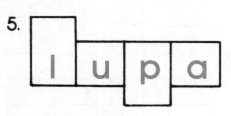
l u p a

6.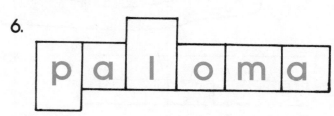
p a l o m a

7.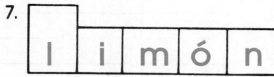
l i m ó n

8.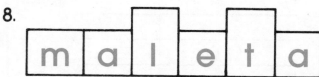
m a l e t a

Practice writing words containing **l** + vowel.
Identify words.

Practicar la escritura de palabras que contengan **l** + vocal.
Identificar palabras.

lupa   loma   pelota   maleta

Busca las palabras escondidas y rodéalas con un círculo.

Read the directions and point out the steps involved in this activity: 1) Read a word from the list; 2) Find the word in the puzzle; and 3) Circle it.
Lea las instrucciones e indique los pasos a seguir en el desarrollo de esta actividad: 1) leer la palabra de la lista; 2) buscar la palabra en el rompecabezas; y 3) rodearla con un círculo.

Identify words containing l + vowel.   Identificar palabras que contengan l + vocal.

CRUCIGRAMA

maleta   paloma   pala   lupa   limón   pelota

Escribe las palabras en el crucigrama.

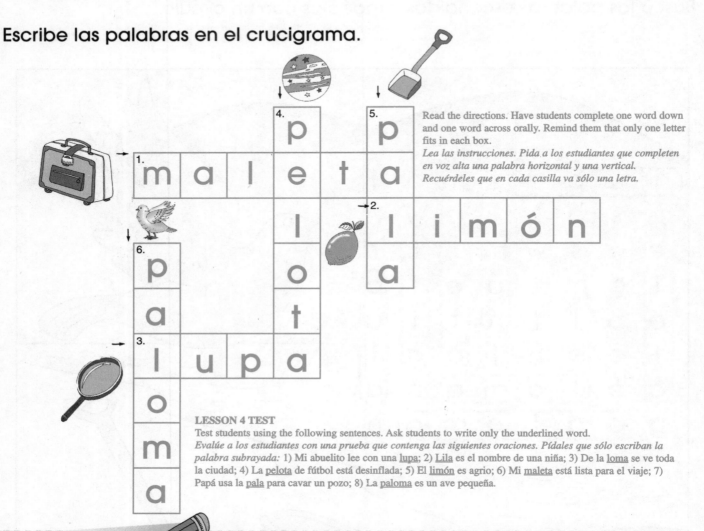

4. p   5. p

1. m a l e t a   a

Read the directions. Have students complete one word down and one word across orally. Remind them that only one letter fits in each box.
Lea las instrucciones. Pida a los estudiantes que completen en voz alta una palabra horizontal y una vertical. Recuérdeles que en cada casilla va sólo una letra.

l   2. l i m ó n

6. p   o   a

a   t

3. l u p a

o

LESSON 4 TEST

Test students using the following sentences. Ask students to write only the underlined word.
Evalúe a los estudiantes con una prueba que contenga las siguientes oraciones. Pídales que sólo escriban la palabra subrayada: 1) Mi abuelito lee con una lupa; 2) Lila es el nombre de una niña; 3) De la loma se ve toda la ciudad; 4) La pelota de fútbol está desinflada; 5) El limón es agrio; 6) Mi maleta está lista para el viaje; 7) Papá usa la pala para cavar un pozo; 8) La paloma es un ave pequeña.

m

a

Dictado

Lee y practica.

Ask students to practice writing the sentences. Dictate the sentences to students the day before the test.
Pida a los estudiantes que practiquen las oraciones por escrito. Dícteles las oraciones el día antes de la prueba.

1. La <u>paloma</u> es blanca.
2. Mira la <u>pelota</u> de Manolo.
3. Lila le da el <u>limón</u> a papá.
4. Elena lee con la <u>lupa</u>.

Use picture clues to identify words.
Practice writing sentences.

Identificar palabras por medio de dibujos.
Practicar la escritura de oraciones.

LECCIÓN 5

| sapo | oso | Susi | sopa |
| silla | sala | casa | piso |

Read the directions and complete an example with the students.
Lea las instrucciones. Haga un ejemplo con los estudiantes.

Escribe una palabra en cada línea.

sapo

silla

oso

sala

Susi

casa

sopa

piso

Write words containing **s** + vowel.   Escribir palabras que contengan **s** + vocal.

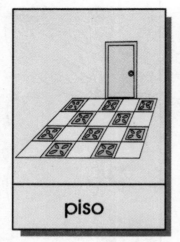
piso

casa

sala

sapo

Completa las oraciones con palabras de la lista.

1. La nena toma su .

sopa

2. El es verde.

sapo

3. Susi sube a la .

silla

4. El es de Susi.

oso

Read the directions, then do the activity orally with students. Stress punctuation and capitalization as they copy the sentences.
Lea las instrucciones y luego haga el ejercicio en voz alta. Pida a los estudiantes que cuiden la puntuación y las mayúsculas al copiar las oraciones.

Copia cada oración completa.

1. La nena toma su sopa.

2. El sapo es verde.

3. Susi sube la silla.

4. El oso es de Susi.

Complete sentences.   Completar oraciones.

oso

Susi

silla

sopa

Lee y colorea.

SAPO Y SEPA

Sapo y Sepa son dos <u>sapos</u>
que viven en esta <u>seta,</u>
y que están siempre muy <u>sanos</u>
porque van en bicicleta.

Read the paragraph with the students. Talk about its meaning and about the underlined words. Read the directions for both activities.
Lea el párrafo con los estudiantes. Hable del sentido del mismo así como de las palabras subrayadas. Lea las instrucciones de las dos actividades.

Completa la palabra con la sílaba apropiada. Luego escribe la palabra.

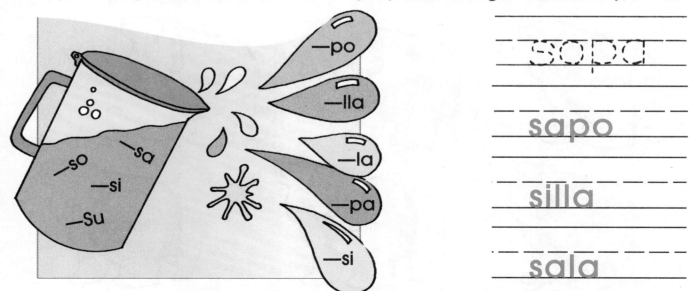

sopa

sapo

silla

sala

Practice syllables and words containing **s** + vowel.   Practicar sílabas y palabras que contengan **s** + v

sapo	oso	Susi	sopa

Busca las palabras escondidas y rodéalas con un círculo. Luego escríbelas.

Read the directions and point out the steps involved in this activity: 1) Circle the word and 2) Write the word on the line provided.
Lea las instrucciones e indique los pasos a seguir en el desarrollo de esta actividad: 1) rodear la palabra con un círculo y 2) escribir la palabra en el espacio en blanco.

x f d （s a l a）u t y s   sala

（s o p a）d e w t r e s   sopa

c d s a e t r （p i s o）   piso

（s a p o）r t f e e r d   sapo

w s d y （s i l l a）e w   silla

Colorea los osos que contienen palabras con la sílaba **so**.

Remind students that crayons are needed for this activity.
Asegúrese de que los estudiantes tengan creyones para hacer este ejercicio.

sapo   oso   Susi

piso   silla   sopa

Practice words containing **s** + vowel.
Identify words.

Practicar palabras que contengan **s** + vocal.
Identificar palabras.

silla	sala	casa	piso

Escribe la palabra correspondiente en el espacio en blanco.

Read the directions. Have students read the clues and give answers orally before they begin to write.
Remind them to refer to the word list at the top of the page.
Lea las instrucciones. Pida a los estudiantes que lean las claves y que den respuestas en voz alta antes de realizar el ejercicio por escrito. Recuérdeles que deben referirse a la lista de palabras de la parte superior de la página.

1. Comienza como 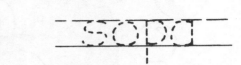 sopa

2. Comienza como silla

3. Comienza como  sapo

Rodea con un círculo la palabra correcta.

Complete this activity with the students.
Haga este ejercicio con los estudiantes.

1. (silla)   cilla   sila
2. capo   (sapo)   zapo
3. pizo   pico   (piso)
4. copa   zopa   (sopa)
5. (oso)   oco   ozo

Lee y copia.

El oso toma sopa.

El oso toma la sopa.

37

Busca las palabras escondidas y rodéalas con un círculo.

Read the directions and point out the steps involved in this activity: 1) Read a word from the list; 2) Find the word in the puzzle; and 3) Circle it.

Lea las instrucciones e indique los pasos a seguir en el desarrollo de esta actividad: 1) leer la palabra de la lista; 2) ubicar la palabra en el rompecabezas; y 3) rodearla con un círculo.

Susi   casa   sapo   silla

piso   sala   sopa   oso

Identify words containing **s** + vowel.   Identificar **palabras** que contengan **s** + vocal.

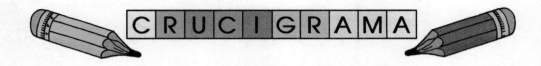
piso   **sala**   **silla**   **oso**   **sapo**   **sopa**

Escribe las palabras en el crucigrama.

Read the directions. Have students complete one word down and one word across orally. Remind them that only one letter fits in each box.
Lea las instrucciones. Pida a los estudiantes que completen en voz alta una palabra horizontal y una vertical. Recuérdeles que en cada casilla va sólo una letra.

LESSON 5 TEST

Test students using the following sentences. Ask students to write only the underlined word.

Evalúe a los estudiantes con una prueba que contenga las siguientes oraciones. Pídales que sólo escriban la palabra subrayada: 1) El <u>sapo</u> salta por todos lados; 2) Hoy vi un <u>oso</u> en el zoológico; 3) <u>Susi</u> es el nombre de mi mejor amiga; 4) Mamá hizo <u>sopa</u> para la cena; 5) La pata de la <u>silla</u> está rota; 6) Los invitados están en la <u>sala</u>; 7) Acabamos de comprar una <u>casa</u>; 8) El <u>piso</u> está lleno de agua.

Dictado

Ask students to practice writing the sentences. Dictate the sentences to students the day before the test.
Pida a los estudiantes que practiquen las oraciones por escrito. Dícteles las oraciones el día antes de la prueba.

Lee y practica.

1. Ese <u>oso</u> toma <u>sopa</u>.
2. <u>Susi</u> sube a la <u>silla</u>.
3. El <u>sapo</u> está en la <u>sala</u>.
4. El <u>piso</u> de la <u>casa</u> es de madera.

Use picture clues to identify words.
Practice writing sentences.

Identificar palabras por medio de dibujos.
Practicar la escritura de oraciones.

niño   nada   tenedor   nudo

pino   nido   nariz   uno

Read the directions. Refer students to the word list.
Lea las instrucciones. Pida a los estudiantes que se refieran a la lista de palabras.

Completa las palabras con las sílabas que faltan.

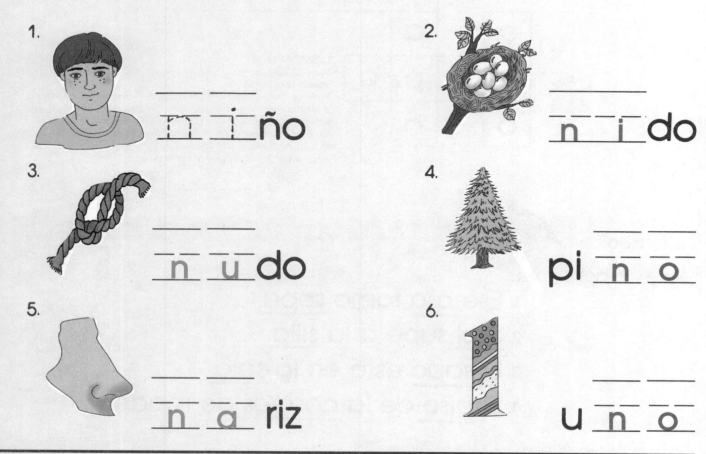

1. n i ño

2. n i do

3. n u do

4. pi n o

5. n a riz

6. u n o

Identify and write words containing **n** + vowel.   Identificar y escribir palabras que contengan **n** + vocal.

Copia cada palabra dos veces.

1. **nido**   nido   nido

2. **nariz**   nariz   nariz

3. **pino**   pino   pino

4. **nudo**   nudo   nudo

5. **tenedor**   tenedor   tenedor

Escribe la palabra que identifica el dibujo. Rodea con un círculo **un** o **una** según corresponda.
Read the directions. Call students' attention to the indefinite article and go over the example.
Lea las instrucciones. Dirija la atención de los estudiantes al artículo indefinido y explique el ejemplo.

1. (un) una
nudo

2. (un) una
nido

3. un (una)
nariz

4. (un) una
niño

41

Practice writing words containing **n** + vowel.
Identify the indefinite article.

Practicar la escritura de las palabras que contengan **n** + vocal.
Identificar el artículo indefinido.

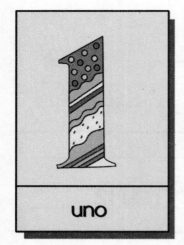
uno

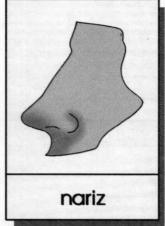
nariz

pino

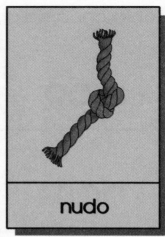
nudo

Completa las oraciones con palabras de la lista.

Read the directions. Point to the picture clues and do an example with the students.
Lea las instrucciones. Señale los dibujos dados como clave y haga un ejemplo con los estudiantes.

1. El niño usa el  .

tenedor

2. El nido está en el  .

pino

3. El pájaro vive en el .

nido

4. Mi zapato tiene un .

nudo

5. , dos, tres.

uno

6. El toca la tuba.

niño

7. Huelo con la .

nariz

Complete the sentences.

Completar oraciones.

nido

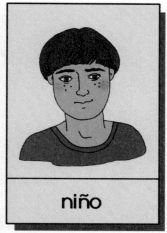
niño

nada

tenedor

Escribe las palabras en las casillas. Guíate por la forma de las mismas.

1. | u | n | o |

Have students examine the shapes carefully to determine the words that fit into each configuration.
Pida a los estudiantes que examinen con cuidado la forma de las casillas para identificar dónde debe ir cada palabra.

2. | p | i | n | o |

3. n i d o

4. n ⬚ d a

5. | n | a | r | i | z |

6. n u d o

Colorea los huevitos que contienen palabras con las sílabas **na**, **ne** y **ni**.

Remind students that crayons are needed for this activity. Complete an example with them.
Recuérdeles a los estudiantes que necesitan creyones para hacer este ejercicio. Haga un ejemplo con ellos.

no · nido · una · silla · mapa · nene · niño · nudo · tiene · lobo · tenedor · nadie · nada

Write words containing **n** + vowel.
Identify words containing the syllables **na, ne**, and **ni**.

Escribir palabras que contengan **n** + vocal.
Identificar palabras que contengan las sílabas **na, ne** y **ni**.

uno   nariz   pino   nudo

Escribe en la columna correspondiente las palabras que contengan la sílaba indicada.

Read the directions. Refer the students to
the word list.
*Lea las instrucciones. Pida a los estudiantes
que se refieran a la lista de palabras*

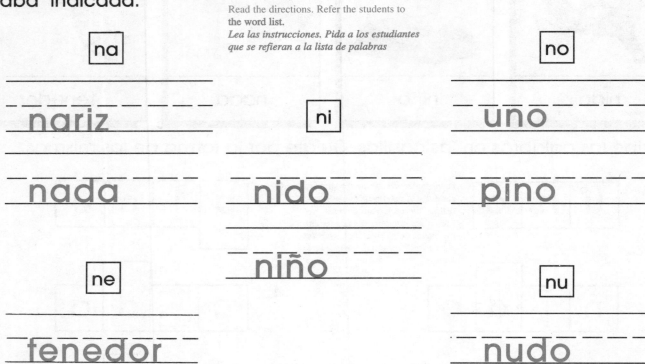

na

nariz

nada

ni

nido

niño

no

uno

pino

ne

tenedor

nu

nudo

Lee las palabras y une con una línea las que comienzan con la misma sílaba.

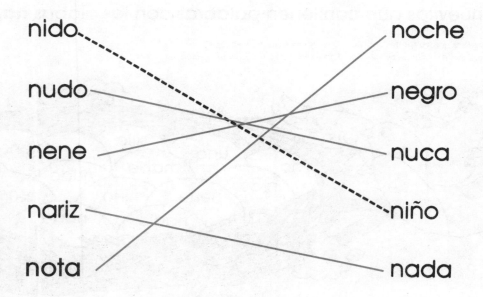

nido   noche

nudo   negro

nene   nuca

nariz   niño

nota   nada

44

Identify and write words containing **n** + vowel.   Identificar y escribir palabras que contengan **n** + vocal.

nido   niño   nada   tenedor

Busca las palabras escondidas y rodéalas con un círculo.

Read the directions and point out the steps involved in this activity: 1) Read a word from the list; 2) Find the word in the puzzle; and 3) Circle it.

Lea las instrucciones e indique los pasos a seguir en el desarrollo de esta actividad: 1) leer la palabra de la lista; 2) ubicar la palabra en el rompecabezas; y 3) rodearla con un círculo.

Identify words containing **n** + vowel.   Identificar palabras que contengan **n** + vocal.

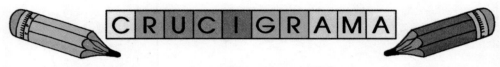

CRUCIGRAMA

niño   nariz   tenedor   nudo   nido   pino

Escribe las palabras en el crucigrama.

Read the directions. Have students complete one word down and one word across orally.
Remind them that only one letter fits in each box.
Lea las instrucciones. Pida a los estudiantes que completen en voz alta una palabra horizontal y una vertical. Recuérdeles que en cada casilla va sólo una letra.

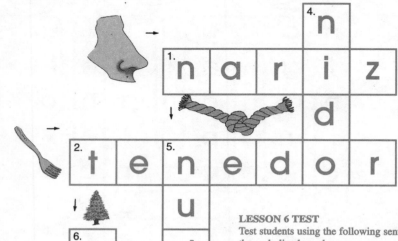

LESSON 6 TEST
Test students using the following sentences. Ask students to write only the underlined word.
Evalúe a los estudiantes con una prueba que contenga las siguientes oraciones. Pídales que sólo escriban la palabra subrayada: 1) El niño apenas tiene tres años; 2) No dejó nada para la cena; 3) El tenedor se usa para comer; 4) El cordón de mi zapato tiene un nudo;
5) El pino siempre está verde; 6) La paloma tiene su nido en el pino;
7) Pinocho tiene la nariz larga; 8) Me quedé con uno solo.

Dictado

Ask students to practice writing the sentences. Dictate the sentences to students the day before the test.
Pida a los estudiantes que practiquen las oraciones por escrito. Dícteles las oraciones el día antes de la prueba.

Lee y practica.

1. Mamá pone el <u>tenedor</u> en la mesa.
2. Mira la <u>nariz</u> de la mona.
3. Ana ata un <u>nudo</u>.
4. El <u>nido</u> está en el <u>pino</u>.

Use picture clues to identify words.
Practice writing sentences.

Identificar palabras por medio de dibujos.
Practicar la escritura de oraciones.

dado   dedal   dedo   dos

dinero   soda   duda   monedas

Read the directions and point out the steps involved in this activity: 1) Circle the word and 2) Write the word on the line provided.
Lea las instrucciones e indique los pasos a seguir en el desarrollo de esta actividad: 1) rodear la palabra con un círculo y 2) escribir la palabra en el espacio en blanco.

Busca las palabras escondidas y rodéalas con un círculo. Luego escríbelas.

d s s r (d a d o) d r e   *dado*

(d i n e r o) r t d f w   dinero

c d s e w r d c (d o s)   dos

d c (m o n e d a s) e w   monedas

d e s d t (d e d o) f d   dedo

(s o d a) e s t a n s t   soda

Identify words containing **d** + vowel.   Identificar palabras que contengan **d** + vocal.

dado

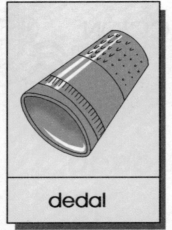

dedal

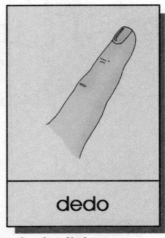

dedo

dos

Completa las oraciones con palabras de la lista.

1. Toma tus .

monedas

2. Mamá tiene una .

duda

3. Ema tiene mi .

dado

4. Me corté el

dedo

Copia cada oración completa.

1. Toma tus monedas.

2. Mamá tiene una duda.

3. Ema tiene mi dado.

4. Me corté el dedo.

Complete sentences.   Completar oraciones.

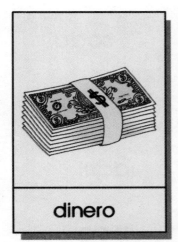

dinero

soda

duda

monedas

Remind students that crayons are needed for this activity. Read the directions and do an example with them.
Asegúrese de que los estudiantes tengan creyones para hacer esta actividad. Lea las instrucciones y haga un ejemplo con ellos.

Colorea los dedales que contienen palabras con **de**, **da** y **do**.

dos · dedo · soda · dado

dinero · duda · dedal

Cada moneda contiene una sílaba. Forma palabras con las sílabas y escríbelas.

dado

moneda

dedal

dinero

49

dado	dedo	monedas	soda

Rodea con un círculo las sílabas da, de, di, do y du.

Read the directions for each activity and do an example with students.
Lea las instrucciones de cada ejercicio y haga un ejemplo con los estudiantes.

 dame   duro   dice   dátil

dócil   detrás   deja   nido

Rodea con un círculo las palabras de la lista. Escribe la oración.

1. Diana tiene una (duda.)

   Diana tiene una duda.

2. El (dado) tiene seis caras.

   El dado tiene seis caras.

3. Dos más (dos) son cuatro.

   Dos más dos son cuatro.

4. Papá lleva mucho (dinero.)

   Papá lleva mucho dinero.

Identify words containing **d** + vowel.   Identificar palabras que contengan **d** + vocal.

Escribe las palabras de la izquierda en las casillas correspondientes. Luego une con líneas las palabras iguales. Guíate por la forma de las casillas.

Have students examine the shapes carefully to determine the words that fit into each configuration. Complete an example with them.
Pida a los estudiantes que examinen con cuidado la forma de las casillas para identificar dónde debe ir cada palabra. Haga un ejemplo con ellos.

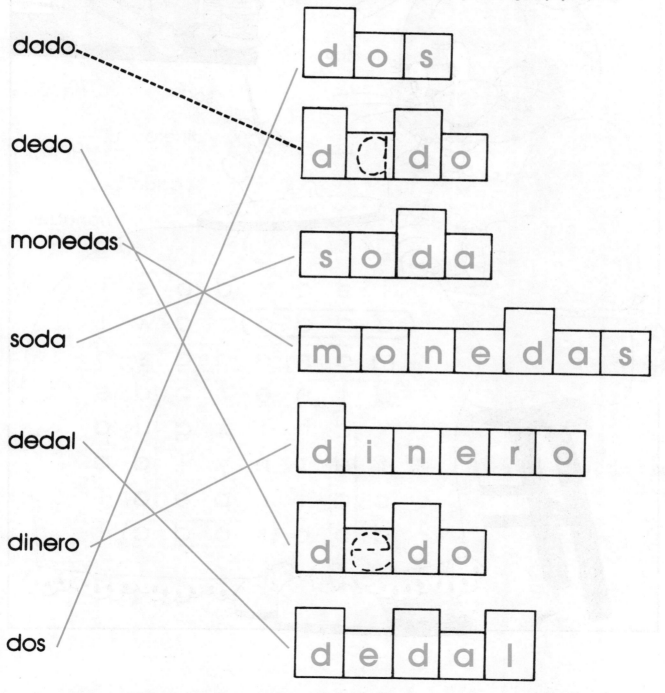

Write words containing **d** + vowel.   Escribir palabras que contengan **d** + vocal.

Busca las palabras escondidas y rodéalas con un círculo.

Read the directions and point out the steps involved in this activity: 1) Read a word from the list; 2) Find the word in the puzzle; and 3) Circle it.
Lea las instrucciones e indique los pasos a seguir en el desarrollo de esta actividad: 1) leer la palabra de la lista; 2) ubicar la palabra en el rompecabezas; y 3) rodearla con un círculo.

duda

dos

soda   dedo

dinero   dedal

dado

monedas

i e a x d o s i
d a d o z a w l
m o n e d a s d
d i n e r o d e
x d h i x q u d
f e r n y l d a
c d i k p e a l
d o o s o d a j

Identify words containing **d** + vowel.   Identificar palabras que contengan **d** + vocal.

dado   dedal   dinero   dedo   soda   dos

Escribe las palabras en el crucigrama.

Read the directions. Have students complete one word
down and one word across orally. Remind them that
only one letter fits in each box.
*Lea las instrucciones. Pida a los estudiantes que
completen en voz alta una palabra horizontal y una
vertical. Recuérdeles que en cada casilla va sólo una
letra.*

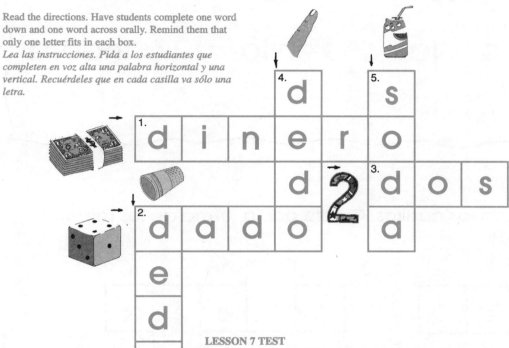

LESSON 7 TEST
Test students using the following sentences. Ask students to write only the underlined word.
*Evalúe a los estudiantes con una prueba que contenga las siguientes oraciones. Pídales que sólo escriban la
palabra subrayada:* 1) El dado tiene seis caras; 2) Mamá usa el dedal para coser; 3) Me corté el dedo con un
cuchillo; 4) Mi hermanita tiene dos años; 5) Los estudiantes no suelen llevar dinero a la escuela; 6) Papá tiene
muchas monedas en su bolsillo; 7) Quiero una soda de limón; 8) No hay duda de que la niña es inteligente.

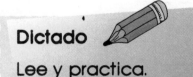

Dictado

Lee y practica.

Ask students to practice writing the sentences. Dictate the sentences to students the day before the test.
*Pida a los estudiantes que practiquen las oraciones por escrito. Dícteles las oraciones el día antes de la
prueba.*

1. Papá tiene mucho <u>dinero.</u>
2. Dale los <u>dados</u> al niño.
3. El nene tiene <u>dos</u> años.
4. Mamá lleva el <u>dedal</u> en el <u>dedo.</u>

Use picture clues to identify words.   Identificar palabras por medio de dibujos.
Practice writing sentences.   Practicar la escritura de oraciones.

burro   bate   bote   botas

lobo   abeja   Benito   bandera

Have students examine the shapes carefully to determine the words that fit into each configuration. Complete an example with them.
Pida a los estudiantes que examinen con cuidado la forma de las casillas para identificar dónde debe ir cada palabra. Haga un ejemplo con ellos.

Escribe las palabras en las casillas. Guíate por la forma de las mismas.

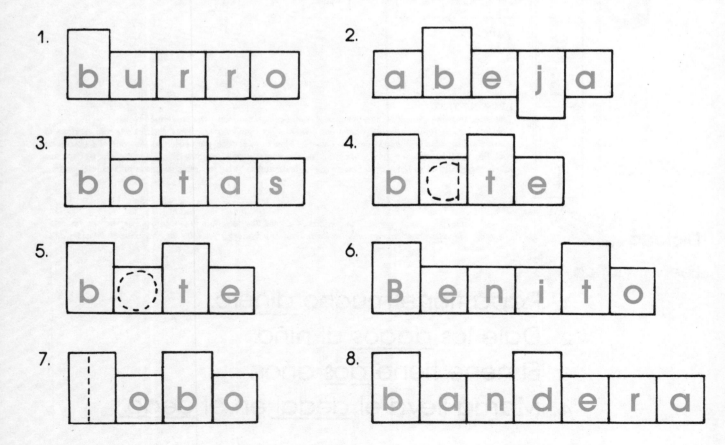

1. b u r r o

2. a b e j a

3. b o t a s

4. b o t e

5. b o t e

6. B e n i t o

7. l o b o

8. b a n d e r a

Write words containing **b** + vowel.   Escribir palabras que contengan **b** + vocal.

Completa las oraciones con palabras de la lista.

Read the directions. Do the activity orally, then assign the writing. Stress capitalization and punctuation. Call their attention to the picture clues.

Lea las instrucciones. Haga el ejercicio en voz alta y luego indique a los estudiantes que lo hagan por escrito. Recomiéndeles que presten atención a las mayúsculas y a la puntuación y que se fijen en los dibujos dados como clave.

1. Benito lleva 🥾 negras.

botas

2. El 🐴 es un animal.

burro

3. La 🐝 nos da miel.

abeja

4. El ⚾ es de Benito.

bate

5. La 🏴 ondea.

bandera

Copia cada oración completa.

1. Benito lleva botas negras.

2. El burro es un animal.

3. La abeja nos da miel.

4. El bate es de Benito.

5. La bandera ondea.

Complete sentences.   Completar oraciones.

burro	**lobo**	**Benito**	**botas**

Escribe la palabra que identifica el dibujo. Rodea con un círculo **el** o **la** según corresponda.

Review the word list, then discuss the definite article. Read the directions and do an example with the students. *Lea la lista de palabras y explique el artículo definido. Lea las instrucciones y haga un ejemplo con los estudiantes.*

1. (el) la

niño

2. el (la)

abeja

3. (el) la

bate

4. (el) la

bote

5. el (la)

bandera

6. el (la)

bota

7. (el) la

burro

8. (el) la

lobo

Practice writing words containing **b** + vowel.
Identify the definite article.

Practicar la escritura de palabras que contengan **b** + vocal.
Identificar el artículo definido.

abeja

bote

bandera

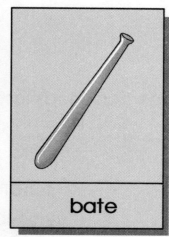

bate

Rodea con un círculo la palabra correcta.

Remind students that crayons are needed for this activity.
Complete an example with them.
Asegúrese de que los estudiantes tengan creyones para realizar la actividad. Haga un ejemplo con ellos.

1. (burro)   vurro   buro
2. lovo   (lobo)   llovo
3. (abeja)   aveja   abega
4. vota   votas   (botas)
5. vate   bat   (bate)
6. veve   (bebe)   vebe

Colorea las abejas que contienen palabras con **be**, **ba** y **bo**.

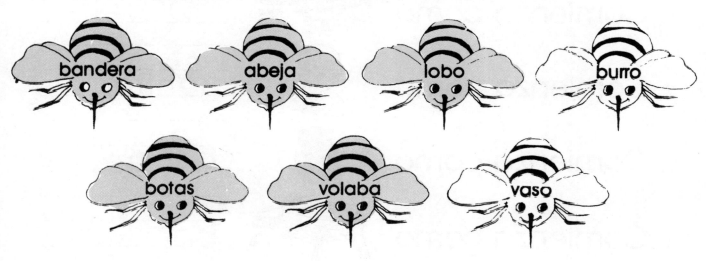

bandera   abeja   lobo   burro

botas   volaba   vaso

Identify words containing **b** + vowel.   Identificar palabras que contengan **b** + vocal.

burro   **lobo**   **Benito**   **botas**

Une con líneas las frases para formar oraciones. Luego escríbelas.

Read the directions. Have students do the entire activity orally first.
Lea las instrucciones. Pida a los estudiantes que hagan toda la actividad en voz alta primero.

1. Benito - - - - - - - - - - - - es un animal.
2. El lobo - - - - - - - - - - - - es un niño.
3. El bote —————————— va por el agua.

1. Benito es un niño.

2. El lobo es un animal.

3. El bote va por el agua.

Escribe la palabra correspondiente en el espacio en blanco.

1. Comienza como  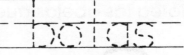 botas

2. Comienza como Benito

3. Comienza como burro

4. Comienza como  bandera

Complete sentences.
Identify words.

Completar oraciones.
Identificar palabras.

abeja   bote   bandera   bate

Busca las palabras escondidas y rodéalas con un círculo.

Read the directions and point out the steps involved in this activity: 1) Read a word from the list; 2) Find the word in the puzzle; and 3) Circle it.
Lea las instrucciones e indique los pasos a seguir en el desarrollo de esta actividad: 1) leer la palabra de la lista; 2) ubicar la palabra en el rompecabezas; y 3) rodearla con un círculo.

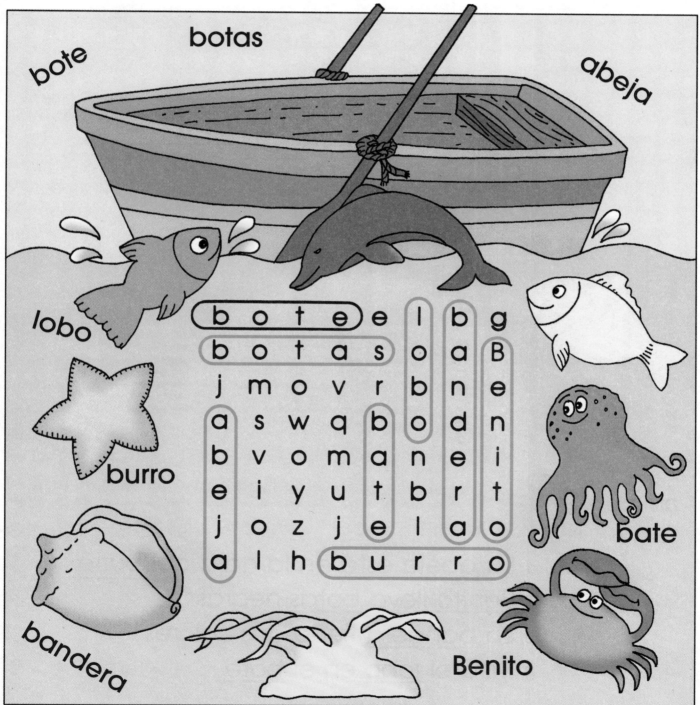

CRUCIGRAMA

burro   bate   bote   botas   abeja

Escribe las palabras en el crucigrama.

Read the directions. Have students complete one word down and one word across orally. Remind them that only one letter fits in each box.
Lea las instrucciones. Pida a los estudiantes que completen en voz alta una palabra horizontal y una vertical. Recuérdeles que en cada casilla va sólo una letra.

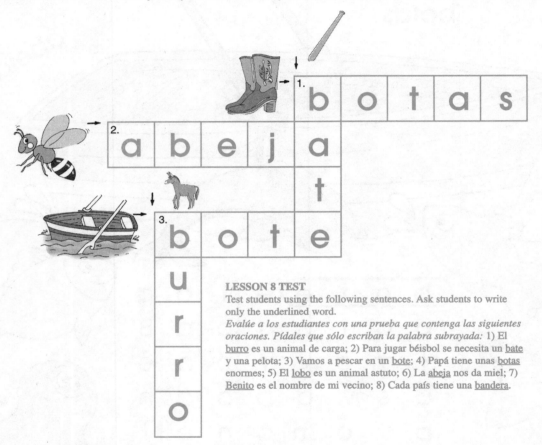

LESSON 8 TEST
Test students using the following sentences. Ask students to write only the underlined word.
Evalúe a los estudiantes con una prueba que contenga las siguientes oraciones. Pídales que sólo escriban la palabra subrayada: 1) El burro es un animal de carga; 2) Para jugar béisbol se necesita un bate y una pelota; 3) Vamos a pescar en un bote; 4) Papá tiene unas botas enormes; 5) El lobo es un animal astuto; 6) La abeja nos da miel; 7) Benito es el nombre de mi vecino; 8) Cada país tiene una bandera.

Dictado

Lee y practica.

Ask students to practice writing the sentences. Dictate the sentences to students the day before the test.
Pida a los estudiantes que practiquen las oraciones por escrito. Dícteles las oraciones el día antes de la prueba.

1. La abeja está en la nariz del burro.
2. Benito lleva botas negras.
3. La bandera tiene dos colores.
4. Mira el lobo en el bote

60

Use picture clues to identify words.
Practice writing sentences.

Identificar palabras por medio de dibujos.
Practicar la escritura de oraciones.

LECCIÓN 9

familia   Felipe   foto   teléfono

faro   fiesta   feliz   foca

Read the directions. Do the activity orally, then assign the writing. Stress capitalization and punctuation. Call their attention to the picture clues.
Lea las instrucciones. Haga el ejercicio en voz alta y luego indique a los estudiantes que lo hagan por escrito. Recomiéndeles que presten atención a las mayúsculas y a la puntuación y que se fijen en los dibujos dados como clave.

Escribe la palabra que identifica el dibujo.

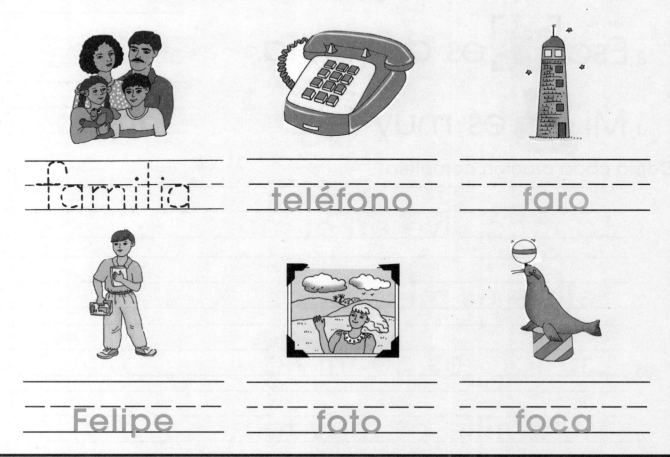

familia   teléfono   faro

Felipe   foto   foca

Write words containing f + vowel.   Escribir palabras que contengan f + vocal.

familia

Felipe

foto

teléfono

Completa las oraciones con palabras de la lista.

1. La vive en el mar. _foca_

2. es mi amigo. Felipe

3. Esa es de mi tía. foto

4. Mi es muy feliz. familia

Copia cada oración completa.

Read the directions. Do the activity orally, then assign the writing. Stress capitalization and punctuation. Call students' attention to the picture clues.
Lea las instrucciones. Haga el ejercicio en voz alta y luego por escrito. Pida a los estudiantes que presten atención a las mayúsculas y a la puntuación y que se fijen en los dibujos dados como clave.

1. La foca vive en el mar.

2. Felipe es mi amigo.

3. Esa foto es de mi tía

4. Mi familia es muy feliz.

Complete sentences.   Completar oraciones.

faro

fiesta

feliz

foca

Busca las palabras escondidas y rodéalas con un círculo. Luego escríbelas.

(f o c a) r e t d w e f   foca

(t e l é f o n o) d e t   teléfono

t d (F e l i p e) d s e   Felipe

d e (f i e s t a) v d e   fiesta

Colorea las focas que contienen palabras con **fa, fe, fi** y **fo.**

foca   teléfono   faro   foto

fiesta   Felipe   feliz   familia

| familia | Felipe | foto | teléfono |

Escribe las palabras en las casillas. Guíate por la forma de las mismas.

1.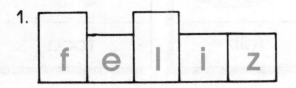

2.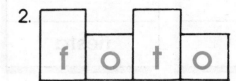

3.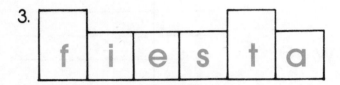

4.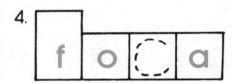

5.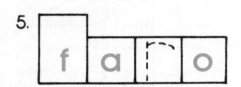

6.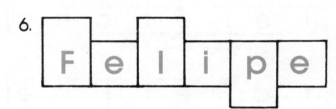

Colorea los tomates que contienen palabras con **fa**, **fi** y **fo**.

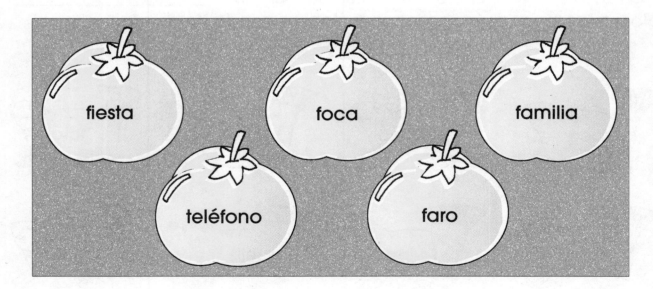

Write words containing **f** + vowel.   Escribir palabras que contengan **f** + vocal.

Colorea las flores que contienen palabras con **fa**, **fe**, **fi**, **fo** y **fu**. Luego escribe cuatro de ellas en el florero.

Remind students that crayons are needed for this activity. Read the directions and do an example.
Asegúrese de que los estudiantes tengan creyones para realizar esta actividad. Lea las instrucciones y haga un ejemplo.

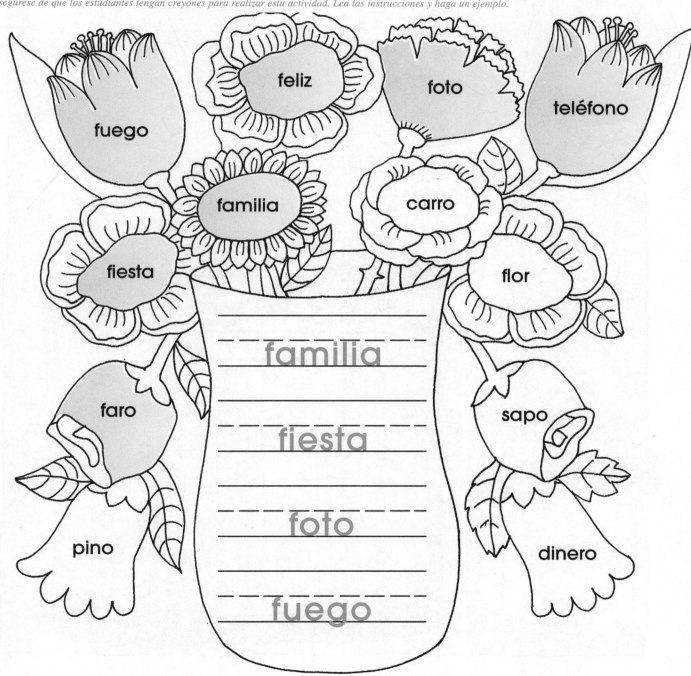

fuego · feliz · foto · teléfono · familia · carro · fiesta · flor · faro · sapo · pino · dinero

familia

fiesta

foto

fuego

Identify and write words containing **f** + vowel.   Identificar y escribir palabras que contengan **f** + vocal.

Busca las palabras escondidas y rodéalas con un círculo.

Read the directions and point out the steps involved in this activity: 1) Read a word from the list; 2) Find the word in the puzzle; and 3) Circle it.
Lea las instrucciones e indique los pasos a seguir en el desarrollo de esta actividad: 1) leer la palabra de la lista; 2) ubicar la palabra en el rompecabezas; y 3) rodearla con un círculo.

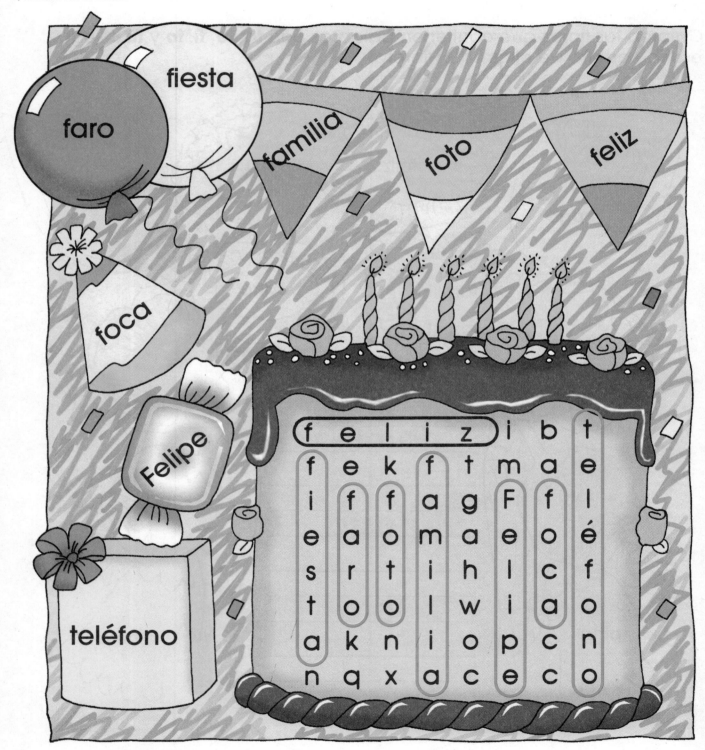

Identify words containing **f** + vowel.   Identificar palabras que contengan **f** + vocal.

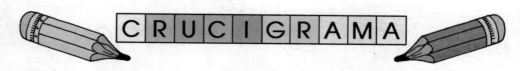

familia   foto   teléfono   faro   fiesta

Escribe las palabras en el crucigrama.

Read the directions. Have students orally complete one word down and one word across. Remind them to use the intersecting boxes as a self-check method. Make sure they understand the clues.

Lea las instrucciones. Pida a los estudiantes que completen en voz alta una palabra horizontal y una vertical. Recuérdeles que deben guiarse por las casillas en que se cruzan las palabras. Asegúrese de que entiendan las claves.

4. f
o

1. t é l e f o n o

o   a

m

2. f i e s t a

m

i

l

i

3. f a r o

LESSON 9 TEST

Test the students using the following sentences. Ask students to write only the underlined word.

Evalúe a los estudiantes utilizando las siguientes oraciones. Pídales que escriban sólo la palabra subrayada:

1) Tengo una familia grande; 2) Felipe es mi mejor amigo; 3) Nos sacaron una foto en la escuela; 4) Mi amiga me llamó por teléfono; 5) Desde el barco se ve el faro; 6) Daré una fiesta por mi cumpleaños; 7) Voy feliz cuando voy a la escuela; 8) La foca vice en el agua.

Dictado

Lee y practica.

Ask students to practice writing the sentences. Dictate the sentences to students the day before the test.

Pida a los estudiantes que practiquen las oraciones por escrito. Dícteles las oraciones el día antes de la prueba.

1. Felipe fue a la <u>fiesta.</u>
2. Mi <u>familia</u> es feliz.
3. Suena el <u>teléfono</u> de Fernando.
4. Se ve una <u>foca</u> desde el <u>faro.</u>

Use picture clues to identify words.
Practice writing sentences.

Identificar palabras por medio de dibujos
Practicar la escritura de oraciones

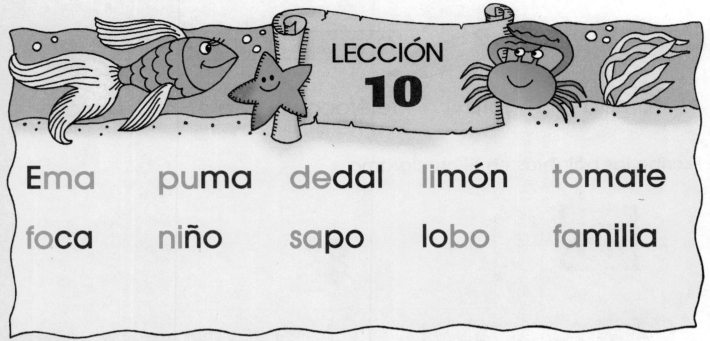

LECCIÓN 10

Ema   puma   dedal   limón   tomate

foca   niño   sapo   lobo   familia

Review the word list. Remind students that this is a review unit for all the words learned in Level A. Ask them to do the configuration alone.

Repase la lista de palabras. Indique a los estudiantes que en esta unidad se hace un repaso de todo el vocabulario aprendido en el Nivel A. Pídales que hagan la actividad solos.

Escribe las palabras de la lista en las casillas. Guíate por la forma de las mismas.

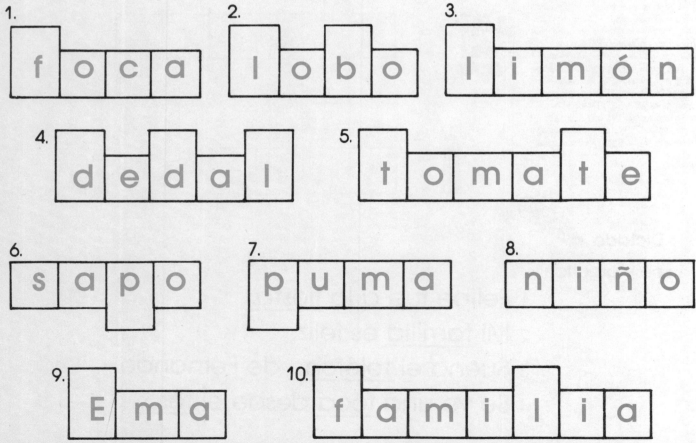

1. f o c a

2. l o b o

3. l i m ó n

4. d e d a l

5. t o m a t e

6. s a p o

7. p u m a

8. n i ñ o

9. E m a

10. f a m i l i a

Identify words.   Identificar palabras.

Review the indefinite article. Read the directions and complete an example with students.

Repase el artículo indefinido. Lea las instrucciones y haga un ejemplo con los estudiantes.

Escribe la palabra que identifica el dibujo. Rodea con un círculo **un** o **una** según corresponda.

1.

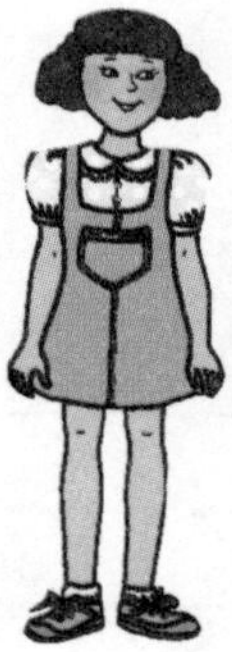

un una

niña

2.

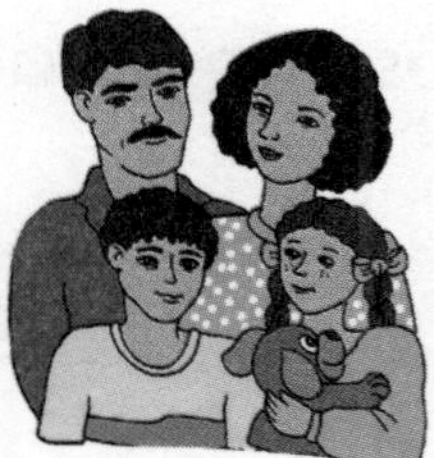

un una

familia

3.

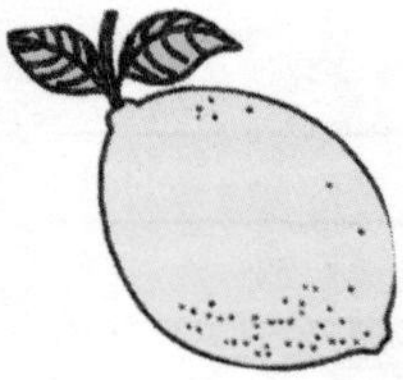

un una

limón

4.

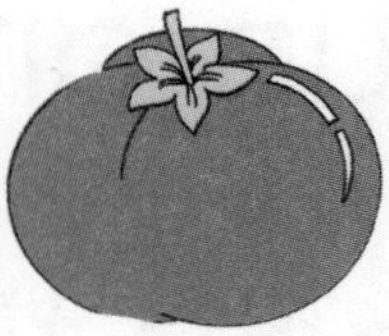

un una

tomate

5.

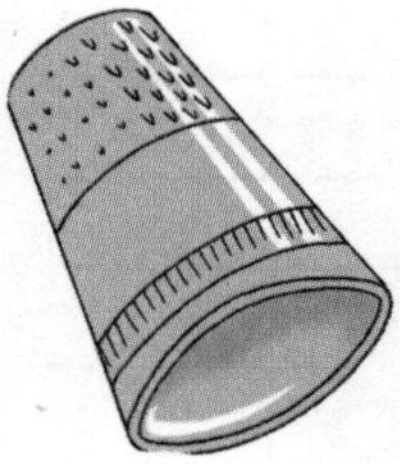

un una

dedal

6.

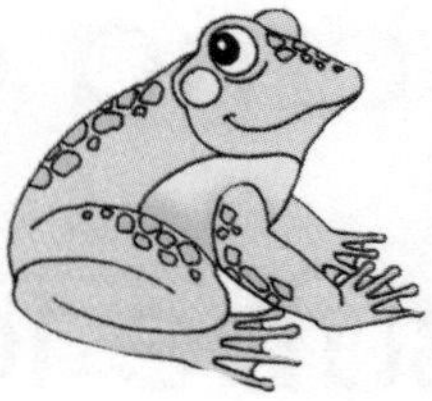

un una

dedal

7.

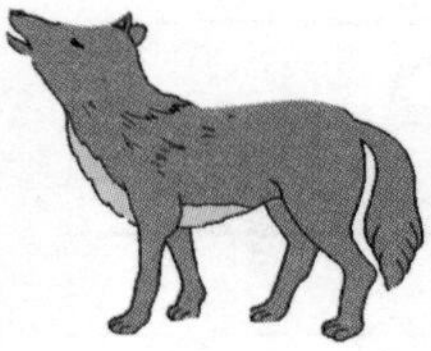

un una

lobo

8.

un una

puma

9.

un una

foca

10.

un una

niño

Review writing words containing **m, p, t, l, s, n, d, b, f** + vowel. Identify the indefinite article.

Repasar palabras que contengan **m, p, t, l, s, n, d, b, f** + vocal. Identificar el artículo indefinido.

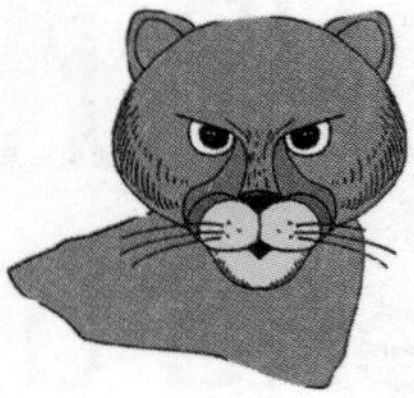

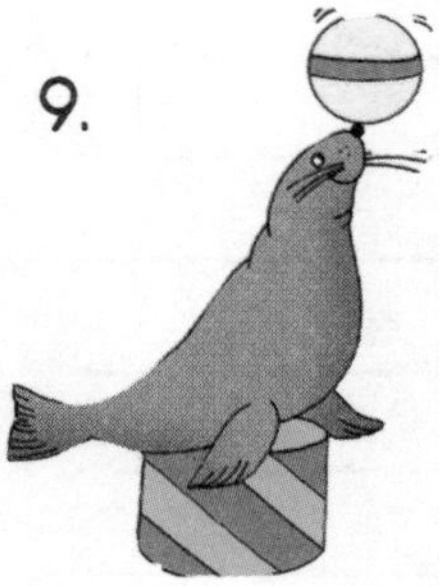

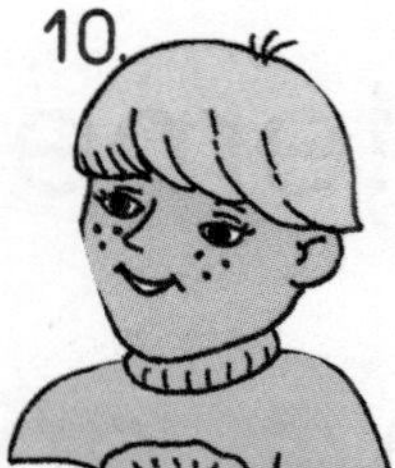

Completa las oraciones con palabras de la lista.

Read the directions. After reviewing the example, direct students to do the activity by themselves.
Lea las instrucciones. Tras hacer el ejemplo, pídales a los estudiantes que hagan el ejercicio por su cuenta.

1. La foto es de .   Ema

2. El es un animal.   puma

3. La ensalada tiene .   tomate

4. Manolo toma el .   limón

5. Ese sube la loma.   sapo

6. Benito es un bueno.   niño

7. Mamá tiene un .   dedal

8. La nena teme al .   lobo

9. La vive en el mar.   foca

Complete sentences.   Completar oraciones.

niño   dedal   foca   lobo   familia

Busca las palabras escondidas y rodéalas con un círculo. Luego escríbelas.

Review the examples for both activities. Direct students to complete the rest.
Explique el ejemplo de las dos actividades y luego pida a los estudiantes que procedan a terminar el ejercicio.

m s f r (p u m a) d t w   puma

c t f b y i x (E m a) p   Ema

(l o b o) d t g f h j k   lobo

b g h t (d e d a l) o u   dedal

v g (f o c a) h e w r t   foca

Escribe la palabra correspondiente en el espacio en blanco.

1. Comienza como    Ema

2. Comienza como    limón

3. Comienza como    niño

mamá	loma	tina	pala	lupa	pomo
silla	tuba	nudo	bote	tomate	foca
dinero	casa	nariz	ama	limón	monedas

Escribe en la columna correspondiente las palabras que contengan la sílaba indicada.

Read the directions. Complete an example with the students. Point out that not all the words from the list will be used for this activity.
Lea las instrucciones y haga un ejemplo con los estudiantes. Adviértales que no todas las palabras de la lista se han de usar en el ejercicio.

m + vocal

mamá

ama

tomate

monedas

p + vocal

pomo

pala

f + vocal

foca

l + vocal

loma

lupa

b + vocal

bote

n + vocal

nudo

nariz

s + vocal

silla

casa

t + vocal

tina

tuba

Identify words in Level A.

Identificar palabras del Nivel A.

Ema   puma   tomate   limón   sapo
dedal   niño   foca   lobo   familia

Read the directions and point out the steps involved in this activity: 1) Read a word from the list; 2) Find the word in the puzzle; and 3) Circle it.
Lea las instrucciones e indique los pasos a seguir en el desarrollo de esta actividad: 1) leer la palabra de la lista; 2) ubicar la palabra en el rompecabezas; y 3) rodearla con un círculo.

Busca las palabras escondidas y rodéalas con un círculo.

Identify words in Level A.   Identificar palabras del Nivel A.

Ema   sapo   puma   tomate   limón
niño   foca   dedal   lobo   familia

Escribe las palabras en el crucigrama.

Read the directions. Have students complete one word down and one word across orally. Remind them that only one letter fits in each box.
Lea las instrucciones. Pida a los estudiantes que completen en voz alta una palabra horizontal y una vertical. Recuérdeles que en cada casilla va sólo una letra.

6. E
m
1. s a p o 7. p o
u
m
2. t o m a t e 8. d
e
3. f a m i l i a d
a
l i m ó n 9. n
i
10. f ñ
5. l o b o
c
a

Use picture clues to identify words.   Identificar palabras por medio de dibujos.

ANIMALES

araña   araña   cerdo   cerdo

burro   burro   conejo   conejo

caballo   caballo   foca   foca

cabra   cabra   gato   gato

cebra   cebra   jirafa   jirafa

Discuss with students the concepts of classification and alphabetical and numerical order. Direct them to write the words on the lines provided.
Aborde los conceptos de clasificación y de ordenación alfabética y numérica. Pida a los estudiantes que escriban las palabras en los espacios en blanco.

león   <u>león</u>

lobo   <u>lobo</u>

mono   <u>mono</u>

oso   <u>oso</u>

pájaro   <u>pájaro</u>

paloma   <u>paloma</u>

pato   <u>pato</u>

perro   <u>perro</u>

puma   <u>puma</u>

tigre   <u>tigre</u>

Discuss with students the concepts of classification and alphabetical and numerical order. Direct them to write the words on the lines provided.
Aborde los conceptos de clasificación y de ordenación alfabética y numérica. Pida a los estudiantes que escriban las palabras en los espacios en blanco.

COLORES

amarillo — amarillo

anaranjado — anaranjado

azul — azul

blanco — blanco

café — café

morado — morado

negro — negro

rojo — rojo

rosado — rosado

verde — verde

NÚMEROS

uno 1 — uno

dos 2 — dos

tres 3 — tres

cuatro 4 — cuatro

cinco 5 — cinco

seis 6 — seis

siete 7 — siete

ocho 8 — ocho

nueve 9 — nueve

diez 10 — diez

Discuss with students the concepts of classification and alphabetical and numerical order. Direct them to write the words on the lines provided.
Aborde los conceptos de clasificación y de ordenación alfabética y numérica. Pida a los estudiantes que escriban las palabras en los espacios en blanco.

MI FAMILIA

abuelo   abuelo

abuela   abuela

hermana   hermana

hermano   hermano

mamá   mamá

nene   nene

niños   niños

papá   papá

primos   primos

tíos   tíos

COMIDA

caldo   caldo   jamón   jamón

galletas   galletas   jugo   jugo

guisado   guisado   leche   leche

hamburguesa   hamburguesa   legumbres   legumbres

huevos   huevos   manzana   manzana

Discuss with students the concepts of classification and alphabetical and numerical order. Direct them to write the words on the lines provided.
Aborde los conceptos de clasificación y de ordenación alfabética y numérica. Pida a los estudiantes que escriban las palabras en los espacios en blanco.

naranja	naranja	queso	queso
pan	pan	sandía	sandía
papas fritas	papas fritas	sandwich	sandwich
pastel	pastel	soda	soda
plátano	plátano	verduras	verduras

Discuss with students the concepts of classification and alphabetical and numerical order. Direct them to write the words on the lines provided.
Aborde los conceptos de clasificación y de ordenación alfabética y numérica. Pida a los estudiantes que escriban las palabras en los espacios en blanco.